Marguerite
Yourcenar

une enfance
en Flandre

Marguerite Yourcenar
une enfance en Flandre

Préface de
Philippe Beaussant

Texte de
Annick Benoit-Dusausoy
Guy Fontaine
Luc Devoldere

Photographies de
Louis Monier

Desclée de Brouwer

Remerciements

Que soient ici chaleureusement remerciés ceux qui ont aidé à la rédaction de cet ouvrage, en particulier :

M. Brossolet et M. Guillou, exécuteurs testamentaires de Marguerite Yourcenar, M. Burggraeve, directeur de la Réserve naturelle du Zwin (Belgique), Mme Claeys, Sœur Marie-Laurence, couvent Anglais (Bruges), M. Steenkiste, office de tourisme des Monts de Flandre, Mme Steinberger, M. Vanneuville, M. Vincent, les Amis du musée de Saint-Jans-Cappel, le musée Benoît-De-Puydt à Bailleul, la province de la Flandre Occidentale (Belgique), le conseil général du Nord (France).

Nous remercions particulièrement les éditions Gallimard qui nous ont généreusement autorisés à reproduire des extraits de l'œuvre de Marguerite Yourcenar. Les citations des trois principaux textes *Archives du Nord*, *Souvenirs pieux* et *Quoi ? L'éternité* (constituant *Le labyrinthe du monde*) sont tirées de *Essais et Mémoires* dans la collection « Bibliothèque de la Pléiade ».

Conception et Maquette
Atelier Dominique Toutain

Réalisation
Sandrine Levain

© Desclée de Brouwer, 2002
76 bis, rue des Saints-Pères, 75007 Paris
www.descleedebrouwer.com

ISBN : 2-220-05208-7

*Je n'ai repensé à mes origines flamandes
que sur le tard, lors de la rédaction
d'Archives du Nord.
Oui, en me penchant sur ces ancêtres,
j'ai cru reconnaître en moi un peu
de ce que j'appelle « la lente fougue flamande ».*

Rencontres avec Marguerite

J'ai rencontré pour la première fois l'œuvre de Marguerite Yourcenar dans des circonstances si étonnantes, et cette rencontre, cette demi-page lue dans le brouhaha d'un aéroport, a eu pour moi des conséquences si fortes que je voudrais la raconter en détail. Bien des écrivains ont été ainsi frappés par leur premier face-à-face avec l'œuvre d'un autre, ou la personne à travers l'œuvre : Jean-Jacques Rousseau et Plutarque, Victor Hugo et Chateaubriand ou rien, Dante et Virgile, Claudel et Rimbaud ; tous témoignent de la force de ce choc.

C'était il y a trente-cinq ans. J'enseignais la littérature française en Australie du Sud, à l'université Flinders. Revenant en France pour plusieurs mois, j'avais décidé de prendre le chemin des écoliers, qui est assez riche quand on traverse la moitié du globe. J'ai sous les yeux la fiche établie alors par l'agence de voyages et la densité, la concentration de découvertes, de paysages, de siècles, de chefs-d'œuvre, de civilisations catapultées en quelques jours auraient suffi à bouleverser n'importe qui : Marguerite Yourcenar, en m'attendant à la dernière étape et me prenant par surprise alors que, je l'avoue à ma honte, je n'avais encore jamais lu une ligne d'elle, était au bout pour donner aux choses leur poids.

Le début du voyage avait été relativement tranquille : rythme d'un touriste ordinaire quoique curieux. Quinze jours pour découvrir Java, les temples de Borobudur, les danses de Bali, les théâtres d'ombres. Puis les événements se sont précipités, à mesure qu'ils augmentaient d'intensité, et que le Cambodge, où l'on pouvait encore se promener

librement, sans crainte d'échauffourées ni de mines perdues, m'étourdissait. Enfin arriva le carambolage final, dont je me demande si quelqu'un d'autre que moi en a déjà vécu un semblable.

Ce soir-là, j'avais contemplé le coucher du soleil, si brusque sous les tropiques, transformant en incendie la forêt au pied des temples d'Angkor, et les tours, elles-mêmes dessinées et sculptées en forme de flammes, rougeoyant dans le tintamarre des singes et des oiseaux innombrables. J'étais resté longtemps perché dans ce labyrinthe de pierres, redevenues noires, mystérieuses comme des grottes, puis doucement dessinées par la lune, caressant les douces figures sculptées des Apsaras, tandis qu'au loin la litanie des crapauds-buffles se joignait au crissement universel des insectes, à l'infini.

J'étais rentré dormir un peu, et j'étais de nouveau là, sur la terrasse supérieure du temple, du côté est, pour le lever du soleil, au moment où la lumière dorée commence à frôler les parties hautes des tours et glisse lentement sur elles dans le silence, tandis que la forêt, en bas, restait dans l'ombre. En quelques minutes, elle descendait, et à l'instant où elle touchait le sommet des arbres, d'un seul coup, avait commencé le concert des signes, le bruissement des cigales et le cri des oiseaux, en une immense symphonie baroque, une musique de scène pour la splendeur, baroque aussi, de cette montagne sculptée.

J'avais alors sauté dans le taxi-pousse qui m'attendait en bas et m'avait conduit à l'aéroport. J'avais fait escale à

Phnom Penh, j'étais remonté dans l'avion de ligne, où j'avais dormi ; à cinq heures cinquante du matin, heure locale, j'avais débarqué au Caire et au lever du soleil, j'étais au milieu du désert qui entoure Khéops, Khéphren et Mykérinos.

Comment dire le bouleversement, le déchirement, qui peut venir de la collision de deux mondes, l'immense forêt bruissante et le silence du désert à peine sonorisé par le vent ; la richesse, l'opulence flamboyante de pierre noire rongée par le soleil levant, et le lendemain le même soleil sur la pureté dorée, la rigueur linéaire, définitive, précise comme une lame, des pyramides sur le ciel ? En vingt-quatre heures, deux mondes, deux aspects de l'histoire des hommes, si opposés, s'excluant l'un l'autre : chacun d'eux a de quoi émouvoir, mais ce carambolage, sans que le temps ait eu le pouvoir d'établir la moindre transition, avait quelque chose de fascinant par son excès même.

Je ne suis resté que trois jours en Égypte : mon voyage continuait et, par un miracle comme peuvent en organiser dans leur inconscience les compagnies aériennes, l'avion suivant devait faire quatre heures d'escale à Athènes, que je connaissais alors pas plus qu'Angkor et Gizeh. J'ai donc passé une heure à l'Acropole, dans la douceur humanisée de la Grèce, avant de rejoindre l'aéroport. C'est là que m'attendait, aussi imprévisible, Marguerite Yourcenar.

J'avais encore deux heures avant l'embarquement. Je me suis assis sur une banquette, j'ai pris quelques notes, que j'ai devant moi. Qui a jamais écrit sur l'Acropole d'Athènes en utilisant une feuille de papier à en-tête de l'Auberge des temples d'Angkor ? A quelques mètres se trouvait la boutique de presse, avec des journaux dans toutes les langues, des revues et de vrais livres, et même des livres en français. Oui, il y a trente-cinq ans, on trouvait des livres en français dans les aéroports. C'est là que j'ai acheté les *Mémoires d'Hadrien*. Mon livre en main, je suis retourné à ma place, j'ai constaté qu'on m'avait volé mon appareil photographique, ce qui m'a moins peiné que la perte des trente-six images qui étaient dedans : souvenirs, souvenirs, je n'ai plus que vous... Je me suis rassis, et je me suis mis à lire. Je voudrais qu'on mesure ce qui s'est passé dans ma tête pendant les quelques minutes où j'ai lu la première demi-page. Angkor, plus les Pyramides, plus l'Acropole d'Athènes, s'entrechoquant dans un concentré de beauté, de grandeur, d'histoire, d'émotions, multipliant leur force par cette densité dans une durée incroyablement réduite, et tout d'un coup :

« Mon cher Marc,

Je suis descendu ce matin chez mon médecin Hermogène qui vient de rentrer à la villa après un assez long voyage en Asie. »

Il arrive qu'aux premières lignes d'un livre, on se sente directement visé, touché, comme si les phrases étaient spécialement écrites pour vous. On en est troublé, ému, une sorte de bonheur vous tombe dessus et vous pénètre, comme si le livre qu'on lisait ne nous était pas donné, mais qu'il sortait de vous-même. On est ravi, on sourit mentalement à l'auteur que l'on considère comme un ami inconnu doublé d'une sorte de devin.

Mais là, Marguerite Yourcenar y allait un peu fort. Pourquoi là ? Entre deux avions ? De retour d'Asie ? Le hasard, le hasard : il a bon dos...

Et puis aussitôt, sa plume établissait la distance. Touché, droit au but à la première ligne, dès la deuxième commençait à s'étaler très doucement le langage d'Hadrien, cette confession retenue, à la fois impériale dans la maîtrise des mots et de la pensée, pourtant teintée de cette fragile et vulnérable nostalgie qui apparaît aussitôt. « Ce matin, l'idée m'est venue pour la première fois que mon corps, ce fidèle compagnon, cet ami plus sûr, mieux connu de moi que mon âme, n'est qu'un monstre sournois qui finira par dévorer son maître... »

C'est cela : la distance. Cet empereur plus grec que latin, dont j'évoquais le vague souvenir d'une barbe frisée entrevue dans je ne sais quel musée, me faisait en une demi-page parcourir un chemin exactement inverse du mien : il me saisissait, à Athènes, par surprise, et me contraignait à regarder d'une manière apaisée ce tohu-bohu d'impressions violentes et contradictoires nées de mon étrange voyage. Et dans le même temps, me forçait à prendre la mesure de cette expérience inoubliable issue de l'accumulation des contrastes.

Je n'ai lu qu'une demi-page : j'ai refermé le livre et j'ai écrit quelques notes sur mon papier cambodgien : je venais de commencer mon propre livre, celui que j'avais en tête depuis plusieurs années et qui serait le récit d'un archéologue.

J'avais, bien entendu, pensé à lui durant tout mon périple : Angkor, les pyramides en étaient les personnages. C'est Hadrien et son médecin Hermogène qui, sur cette banquette d'aéroport, ont permis, comme on dit en chimie, la cristallisation : cet agent extérieur entraînant une réaction qui n'aurait pas eu lieu sans lui, alors qu'il n'agit pas directement sur les éléments en présence.

Curieusement, c'est beaucoup plus tard que j'ai repris la lecture des *Mémoires d'Hadrien* : mais je ne suis pas et ne serai jamais un lecteur « neutre ».

C'est encore beaucoup plus tard que j'ai fait la connaissance de ce « Nord », dont Marguerite Yourcenar n'aimait pas seulement les « archives », mais les paysages, le ton, les gens. Et c'est encore à elle que je le dois puisque ce sont les lieux de son enfance, transformés en résidence pour écrivains, qui m'y ont attiré. J'ai beaucoup voyagé au cours de ma vie, je connais relativement bien ce beau pays qu'on appelle France, et jamais, jamais je n'avais eu l'occasion ni l'envie de « monter » dans le Nord.

Nous autres Méridionaux, j'en suis un et de cœur, sommes pétris de préjugés à ce sujet. Un homme du Midi, lorsqu'il s'avance vers les provinces du Nord, a toujours un peu tendance à se prendre pour Jules César : « *Gallia divisa est in partes tres* », etc. Les choses ne se sont guère arrangées depuis Marcel Pagnol. Nous pensons toujours que nous sommes les plus rigolos, les plus cordiaux, les plus malins, les meilleurs galéjeurs, et que, plus on s'éloigne de la Canebière, plus on s'ennuie dans le monde.

J'ai tant aimé la Provence quand j'étais enfant, les collines plantées de pins, les champs d'oliviers, les maisons basses et ocre aux toits de tuiles rondes, les garrigues crissantes de cigales, que j'ai longtemps gardé mes préjugés. Il a fallu que Marguerite Yourcenar m'oblige à découvrir que, si l'on ne doit jamais abîmer ses souvenirs d'enfance, il ne faut jamais s'en tenir là.

J'avais pourtant exactement autant de raisons de m'orienter vers le nord que vers le midi. Le hasard a choisi pour moi.

Mes deux grands-pères étaient marins l'un et l'autre. Ils ont vogué sur la mer jolie pendant des années sans se connaître, jusqu'à ce qu'ils se retrouvent sur le même bateau. L'un était le capitaine, l'autre son second. Le premier était grand et mince avec un fin sourire, l'autre petit et gros, et rigolard. Ils se sont si bien entendus que le fils du capitaine, nommé Charles Gustave, épousa la fille du second, Françoise, dite Fanette : le résultat, c'est moi.

Je ne connais pas le nom de la frégate sur laquelle ils se sont connus, ce qui est un problème insoluble, puisque sans elle je ne serais pas là pour demander comment elle s'appelait. Je propose de la baptiser *L'Aventureuse*. Car voici le fond de l'histoire : bien avant de se rencontrer, mes deux grands-pères avaient pris femme, comme font les marins, c'est-à-dire dans un port. On ne se marie pas n'importe où, dans ce métier-là. Le premier avait trouvé la sienne à Toulon, et l'autre à Dunkerque. J'ai donc eu deux grands-mères parfaitement symétriques et il n'y avait aucune raison *a priori* pour que je sois orienté vers la bouillabaisse plutôt que vers le potjevleisch. Le hasard a improvisé à sa manière. Ma grand-mère provençale, enracinée du côté de Brignoles, et que je n'ai jamais connue puisqu'elle mourut avant ma naissance, m'a attaché aux pinèdes, aux oliviers, aux cigales et à sa langue ensoleillée. Ma grand-mère dunkerquoise, que j'ai beaucoup aimée et qui m'a appris à écrire, ne m'a jamais attiré vers son Nord et ne m'a rien appris sur ses gens, sur son parler et sur son histoire.

Elles ont pourtant fait quelque chose d'étonnant, à l'envers de ce qu'on pourrait croire. Si la Provençale m'a lié à un terroir, la Flamande m'a pénétré d'un mythe ; celui de mon arrière grand-père, natif de Condé-sur-Escaut, qui était né sous Louis-Philippe et avait chargé sabre au clair à la bataille de Reichshoffen. C'était un personnage extraordinaire, avec de grandes moustaches blanches, un chapeau noir et une canne, et c'est lui qui m'a fait visiter le château de Versailles, quand j'avais dix ans et lui quatre-vingt-dix. La gloire du Roi-Soleil retombait directement sur lui ; toute l'histoire de France était à ses pieds : charger sabre au clair à Reichshoffen, c'est presque être le Grand Condé.

Marguerite Yourcenar m'a contraint à « monter » vers le Nord. Et après m'avoir fait la surprise d'entrer dans ma vie et de me dire comment j'allais écrire mon premier livre (*L'Archéologue* a été publié après *Le Biographe*, mais je l'avais presque entièrement écrit avant), elle m'a fait l'incroyable cadeau de me permettre de reconnaître dans *Souvenirs pieux*, dans *Archives du Nord*, dans

Quoi ? L'éternité, une mythologie qui sommeillait en moi. Et plus encore : de découvrir qu'elle était vraie.

Ce qui frappe lorsqu'on ouvre un livre de Marguerite Yourcenar, à quelque genre qu'il se rattache – souvenirs, chronique des innombrables branches d'une vieille famille, ou bien mémoires imaginaires d'un empereur romain... – c'est cette capacité double et apparemment contradictoire de faire vivre en quelques mots, en quelques phrases, en quelques pages, des gens (ils sont là, dessinés, nets, précis dans le coup de crayon, on les voit penser), et en même temps, par une distance prise avec eux, de les juger dans le même mouvement qu'on manifeste à leur égard cette tendresse secrète et discrète. C'est ce double mouvement que l'on aime dans ses livres, à proportion qu'il nous entraîne nous-mêmes à éprouver, envers les personnages qui les peuplent, cet attachement, à la fois sincère et détaché, pour Michel, bien sûr, et Michel-Charles, et Marie, et Fernande, et Johann-Karl, et Jeanne, et la terrible Noémi...

Marguerite Yourcenar a une manière particulière de s'interroger sur les personnages, de creuser au fond des êtres, de deviner leurs secrets, leurs demi-secrets, et surtout de nous les offrir. Elle ne les invente pas : elle les recompose. Elle s'introduit en eux, elle les revit, et du coup ils vivent. Son intimité avec eux est si profonde qu'elle perçoit non seulement ce qu'ils montrent d'eux-mêmes, mais leur pensée, les raisons de ce qu'ils pensent et de ce qu'ils sont, et qu'ainsi elle nous livre une sorte de concentré de leur existence, ou d'un fragment de leur existence, à travers lequel on les déchiffre tout entiers ; et ils sont si présents que nous les adoptons comme elle les a eux-mêmes adoptés.

Car le miracle de cette lecture des êtres vient de son propre lien avec eux. Tous ces êtres qui ont vécu avant elle, elle en est la fille. Si elle est elle-même, c'est parce qu'ils ont existé. Mais cette filiation est curieusement indirecte : c'est là que réside le secret. Elle est leur fille mais dans la mesure où elle les « reconnaît », comme ancêtres, comme un père « reconnaît » l'enfant né de lui, mais à l'envers. Elle les « adopte » comme un ancêtre, comme un père « adopte » un enfant. C'est un héritage double, qui prend substance à mesure qu'elle se reconnaît héritière en les racontant. Et par la suite, au fil de la lecture, on perçoit dans ses récits ce double mouvement de transmission et d'adoption, cette étrange mixture de distance et d'affection. Nous, lecteurs, nous nous trouvons conduits à nous constituer à travers elle une sorte de famille, adoptive elle aussi.

Pendant qu'elle reconstitue ses ancêtres, nous les ressentons comme s'ils étaient un peu les nôtres, et nous les aimons : tous, même Noémi.

Et me voici, moi lecteur, obligé de remonter comme elle, dans mon héritage, de le rechercher, de flairer ses secrets, et de songer à des gens que je croyais avoir oubliés. Plus je lisais *Archives du Nord* et *Souvenirs pieux*, plus j'étais contraint de me rappeler que j'étais, moi aussi, issu d'une lignée du Nord dont je ne savais presque rien, toute mon attention ayant été accaparée par celle du Sud. Marguerite m'obligeait à me reconnaître héritier. J'avais aussi un arrière-grand-père natif de Condé-sur-Escaut, et qui avait aussi épousé une jeune fille belge : ma grand-mère était leur enfant. Je me suis reproché de ne pas assez savoir qui je suis, pour n'avoir pas assez remonté le temps, comme elle, et ne pas avoir suffisamment communié avec ceux qui m'ont fait ce que je suis.

Ce qui m'a facilité la tâche, ce fut d'ailleurs de découvrir de page en page, dans le texte de Marguerite Yourcenar, des personnages, des vies, des figures si fort semblables à ce que me racontaient les bribes de ma mythologie personnelle, que je m'y retrouvais moi-même.

J'ai eu une arrière-grand-mère qui ressemblait à Noémi. Pas celle de Namur, qui était un ange, m'a-t-on dit, mais celle de Bordeaux (mais comme le dit Marguerite, on a deux grands-pères et deux grands-mères mais quatre arrière-grands-pères, huit arrière-arrière, seize, trente-deux, soixante-quatre et, j'ai compté, soixante-cinq mille cinq cent trente-six arrière-arrière-arrière au temps de Henri IV). Cette arrière-grand-mère était une terreur. Elle était haute comme trois pommes et me faisait peur quand j'avais cinq ans, même quand elle m'apprenait à jouer à la bataille (c'est vrai : du coup je n'ai jamais su tricher au jeu, et je ne joue plus jamais). Son pauvre mari, qui était bon comme le pain, avait fini par installer sa table de travail au grenier pour être tranquille : mais de ce jour, on fit le ménage dans le grenier pour pouvoir déranger ses papiers et le mettre dehors de temps en temps. La table sur laquelle j'écris cette page était la sienne : et Marguerite me fait reproche de ne pas penser à lui chaque fois que je m'assieds.

Mon arrière-grand-père (l'autre celui de Condé-sur-Escaut), je l'ai reconnu dans Michel, au moins pour un bel acte de courage. Il ne lui ressemblait pourtant guère : raide, ni joueur ni charmeur, un peu rude, non dans son cœur ni dans ses manières, mais dans la rigueur de ses pensées et la fermeté de ses opinions. Au temps du petit père Combes, qu'on soit croyant ou agnostique, il fallait parfois du courage et du panache. Michel en a eu, criant « Vive la liberté ! » pendant qu'on expulsait les moines du Mont-des-Cats en présence du sous-préfet. Mon arrière-grand-père en a eu aussi quand on lui demanda la liste des officiers de son régiment qui allaient à la messe, et qu'il répliqua : « J'ai le regret, mon Général, de ne pouvoir vous répondre, car je suis toujours au premier rang et ne me retourne jamais pendant l'office. »

J'ai rebaptisé mon arrière-grand-mère Noémi et ne la nomme plus jamais autrement ; mais j'ai gardé à mon arrière-grand-père son vrai prénom, Victor, à cause de la charge de Reichshoffen.

Mais, j'y reviens, ce qui étonne à la lecture de Marguerite Yourcenar, c'est la manière dont elle opère sa « reconstruction » des êtres et des lieux : elle ne les invente pas, ne les fabrique pas, elle les « rebâtit ». Il m'a fallu venir moi-même dans le Nord, découvrir les lieux dont elle parle, pour comprendre le mécanisme de ce travail, en quelque sorte, de restauration, au sens que les architectes et les maçons donnent à ce mot.

Un homme du Midi, même s'il a appris l'histoire sur les bancs de l'école, qu'il a entendu parler de batailles,

les flamboyantes (Marignan, Fontenoy, « Messieurs les Anglais... ») et les autres, les tragiques, les cruelles (les tranchées, le chemin des Dames...) un homme du Midi ne sait pas très bien ce que c'est. Il n'a jamais vu autour de lui que des villages perchés dont toutes les maisons ont leur vrai âge, et le portent. Comment imaginerait-il une terre où, à chaque pas, on voit ou on devine les ravages de la guerre ? Il ne connaît que de vieux mas à tuiles rondes, ou des burons de vieilles pierres que les siècles seuls semblent pouvoir entamer, et qui résistent. Les guerres, pour lui, c'était au Moyen Age. Quand il arrive dans le Nord, il est effaré. Pas seulement par les blockhaus de ciment gris ou par les cimetières, mais par une sensation plus confuse, qu'il ne comprend pas tout de suite. Les vieilles maisons ne sont pas vieilles. Elles font semblant. Elles tiennent la place d'une autre, s'efforcent de lui ressembler et, quand on les regarde un peu fixement, elles ont l'air de baisser les yeux en avouant : non, celle qui était ici a été démolie en 14, ou en 17. Je suis sa remplaçante. L'homme du midi prend alors conscience de quelque chose qu'il savait, dont il avait lu l'histoire dans les livres, mais sous une forme abstraite. Pour comprendre ce que veut dire le mot « reconstruire », il faut parcourir les vieilles villes neuves.

Marguerite Yourcenar « reconstruit » des êtres, des familles, des paysages, dans ce sens-là. Elle pénètre dans le passé, très lointain quelquefois, elle le remodèle et y réinstalle la vie, comme une ville reprend la sienne après le désastre.

En arrivant au Mont-Noir, on comprend encore autre chose : ces êtres qu'elle nous décrit, qu'elle nous peint, et qu'elle nous fait aimer par l'affection même qu'elle leur porte, elle les voit. Et pour nous, par conséquent, comme le mouvement de la reconnaissance du passé se double de celui de l'« adoption », comme le mouvement de la reconnaissance du passé se double de sa « reconstruction », de même le mouvement d'affection, d'intérêt, de sollicitude pour ces personnes et les choses que Marguerite Yourcenar éprouve et transcrit en nous le faisant partager, se double d'une « distance » : et c'est au Mont-Noir qu'on le déchiffre.

C'est un lieu commun que de dire (on l'a tant fait...) que les paysages de l'enfance marquant à jamais l'esprit des hommes et qu'ils ne s'en défont pas. Mais en gravissant la colline sombre aux beaux arbres, tapissée de jacinthes bleues au printemps, on a tout à coup la révélation que ce cliché est une vérité. Au sommet du Mont-Noir, dans le frémissement du vent, quand on parvient à l'emplacement exact du château où Marguerite passa son enfance, on aperçoit dans une trouée, sous les nuages, la grande plaine de Flandre : si précise, si nette, si étale, jusqu'à l'horizon, déchiffrable, intelligible.

Quand on est dans une plaine, on voit l'horizon : mais pas la structure. Du haut du Mont-Noir, la terre est à la fois distante et saisissable. Les choses se donnent à lire. Comment ne pas apprendre, en les regardant, à voir « de loin » ?

« Les plus forts souvenirs sont ceux du Mont-Noir, parce que
j'ai appris là à aimer tout ce que j'aime encore. »

Apprendre
la Flandre

Pour qui sillonne les terres de Flandre et d'Artois, quelles figures littéraires se détachent et viennent à la rencontre du voyageur qui a parcouru le Berry de George Sand, les Landes de François Mauriac, la Provence de Marcel Pagnol ? Parmi les souvenirs de lecture qui affleurent à la mémoire, voici qu'apparaissent Mouchette de Bernanos, Georges de Claude Simon, Simenon et son Bourgmestre de Furnes, Zénon de *L'Œuvre au Noir*, tous enfants du Nord.

Puis, peu à peu, *Le Labyrinthe du monde* s'impose : l'évocation de la jeunesse de Marguerite Yourcenar donne un sens au réseau d'autoroutes qui traversent la plaine. Une topographie littéraire se dessine, évidente : le lecteur de *Souvenirs pieux* qui vient de Paris pourrait rouler vers Bruxelles, lieu de naissance de Marguerite. Plus loin, la bifurcation vers Calais évoque le cap Gris-Nez où elle entendait battre la mer contre la falaise calcaire. A l'approche de Lille, on pense à la rue Marais où habitait Noémi, la grand-mère détestée. S'il poursuit sa route vers Dunkerque, surgit alors, au nord-ouest, la quadruple vague de ces monts de Flandre « qu'ailleurs on appellerait des collines[1] ». A la sortie « Bailleul », on bifurque pour monter les pentes de ce Mont-Noir dont elle avait, dit-elle, une connaissance plus intime.

Ainsi commence un périple sur les pas de Marguerite Yourcenar qui a visité et revisité les Flandres de son enfance, au propre comme au figuré, dans sa vie comme dans ses livres. Ce périple nous amène à franchir sans cesse *De Schreve* – la ligne, en flamand –, séparant les deux versants d'une même colline appelée *De Zwarte Berg* en Belgique et *Mont-Noir* en France. De part et d'autre

de cette limite linguistique et politique – de cette simple *Schreve*, dont dérive aussi le mot écriture – il y a la Flandre. Et c'est cette province que nous parcourrons sans nous soucier de la frontière.

Dominant le village de Saint-Jans-Cappel, le Mont-Noir, qui culmine à cent cinquante mètres, offre un vaste parc à l'anglaise. « *Sta, viator* ! » Arrête-toi, voyageur, pour profiter de cette terre frontière où la campagne a été préservée, selon le vœu de l'auteur d'*Archives du Nord*. Dans le parc départemental Marguerite-Yourcenar, le conseil général du Nord a créé, en 1996, une résidence pour écrivains européens.

Quand le château familial est vendu, en 1912, par son père prodigue, Marguerite Cleenewerck de Crayencour a eu neuf étés pour apprendre à voir, même si « pour moi le Mont-Noir reculait déjà au fond de mon court passé. La chèvre aux cornes d'or, le mouton, l'ânon et sa mère, dont je me souviens si bien aujourd'hui, étaient momentané-ment oubliés[2] ».

« J'ai cru longtemps avoir peu de souvenirs d'enfance [...]. Mais je me trompais : j'imagine plutôt ne leur avoir guère jusqu'ici laissé l'occasion de remonter jusqu'à moi. En réexaminant mes dernières années au Mont-Noir, certains au moins redeviennent peu à peu visibles, comme le font les objets d'une chambre aux volets clos dans laquelle on ne s'est pas aventuré depuis longtemps[3]. »

Soixante ans et plus dans la *camera oscura*, et voici l'émergence d'un passé dont les contours apparaissent et se précisent au fil des pages de la trilogie du *Labyrinthe du Monde : Souvenirs Pieux, Archives du Nord, Quoi ? L'éternité,* trois volumes de mémoires pour dire longuement, profondément, avec « la lente fougue flamande[4] », comme est perçue, constamment, dans l'œuvre et dans l'être de la romancière, l'image du Mont-Noir et de la Flandre, puisque le temps a permis que se développent, comme des photographies, les impressions d'enfance.

Ce que Marguerite Yourcenar donne à voir ne semble pas visible, du moins au premier coup d'œil : pas de jacinthes – hormis la floraison de mai –, pas de château – la Grande Guerre est passée par là –, mais, à perte de vue, la plaine que ferment au sud les collines d'Artois, au nord Ostende et la côte. Les clichés sur le Nord industriel et pluvieux s'évanouissent ; c'est un autre pays qui se révèle, focalisé par son regard. « Tournons rapidement les feuillets de l'album[5] » de photographies : Flandre de la petite enfance de Marguerite, redécouverte avec bonheur des années après, recréée par l'académicienne dans son œuvre, au soir de sa vie.

NOTES

1. *Archives du Nord*, p.955.
2. *Quoi ? L'éternité*, p.1369.
3. *Quoi ? L'éternité*, p.1327.
4. *Archives du Nord*, p.1050.
5. *Archives du Nord*, p.1072.

« Le Mont-Noir dont j'ai une connaissance plus intime,
puisque c'est sur lui que j'ai vécu enfant. »

Le Mont-Noir

On entre à pied dans le parc en contournant le « joli pavillon de concierge » mentionné par l'affiche de la mise en vente du château, où habitait Marie Joye, la fille des gardiens. La petite fille du château, que les habitants de Saint-Jans-Cappel appelaient au début du siècle – et que certains évoquent encore ainsi, aujourd'hui – « T'Meisje van't Kasteel », était sa compagne de jeux. Elles se reverront avec bonheur en 1954, en 1968, en 1980...

Laissons pour le moment la grotte qui abrite la statue de Marie et la ferme Cappoen, l'une des nombreuses métairies des Crayencour. Prenons le chemin de droite qui conduit à l'actuelle Villa Mont-Noir. En contrebas, on aperçoit la bergerie qui abritait « un gros mouton tout blanc qu'on savonnait chaque samedi dans la cuve de la buanderie [1] ». Ce bâtiment est en briques rouges, matériau caractéristique de la région et qui fut utilisé pour le château,

bien sûr, mais aussi pour les dépendances encore visibles
aujourd'hui : le pavillon de concierge, les écuries, le chalet
aux chèvres, le chalet aux roses.

On a ici la plus belle vue, un paysage dessiné comme
ceux des Albums de Croÿ avec, au premier plan un verger
planté de pommiers, au second plan des prés et des bois,
le village de Saint-Jans-Cappel entourant son église et, à
l'arrière-plan le beffroi de Bailleul, des champs, les terrils
du pays minier, les collines d'Artois.

Empruntons l'allée qu'évoque Marguerite lorsqu'elle
retrace le matin joyeux d'une journée de septembre 1866
qui s'achève en tragédie, puisque Gabrielle, la sœur aînée
de Michel de Crayencour, y a trouvé la mort : « La petite
cavalcade s'ébranle gaiement le long de l'allée de rhodo-

« la petite cavalcade s'ébranle gaiement le long de l'allée de rhododendrons qui mène à la grille. On passe devant le moulin, situé en haut de la colline, en retrait du château, à un endroit où la brise ne manque jamais, même par les beaux jours calmes. »

dendrons qui mène à la grille. On passe devant le moulin, situé en haut de la colline, en retrait du château, à un endroit où la brise ne manque jamais, même par les beaux jours calmes[2]. »

On ne passe plus devant aucun des moulins à vent que mentionnent *Archives du Nord :* ont-ils été détruits par la guerre ? victimes du modernisme ? Ceux que l'on voit aujourd'hui aux alentours ont été rachetés à d'autres communes : le Kasselmeulen à Cassel, l'Ondankmeulen à Boeschepe, dont le nom signifie « moulin de l'ingratitude »

parce qu'il fut abandonné par son village d'origine.

Encore quelques pas et voici, sur la gauche, une petite clairière : surplombant le théâtre de verdure, le mur de fondation de l'ancien château des Crayencour se devine plus qu'il ne se voit. Noémi, Michel, Marguerite, Azélie,

Barbe, le vieux cocher Achille, le chauffeur César « qui réussissait auprès des femmes »... c'était ici ! « Azélie, la garde experte en puériculture, que Michel a engagée quand sa jeune femme décida de rentrer à Bruxelles accoucher dans le voisinage de ses soeurs, a consenti à venir passer l'été au Mont-Noir pour former Barbe, naguère femme de chambre de la morte, maintenant promue au rang de bonne d'enfant. Ces deux personnes, servies par les autres gens de maison, logent avec la petite dans la

grande chambre ovale de la tour, fantaisie gothique de ce château louis-philippard[3]. »

Le temps et la guerre ont fait leur œuvre ; mais il reste « l'herbe et les fleurs sauvages mêlées à l'herbe ; les vergers, les arbres, les sapinières, les chevaux, et les vaches dans les grandes prairies[4] ». Il y a bien plus : c'est ici même que Marguerite a appris à garder « les yeux ouverts ». Une lettre qu'elle adresse, le 23 décembre 1980, à son ami de Saint-Jans-Cappel, Louis Sonneville, fait part de l'émotion ressentie après avoir passé quelques heures sur ce Mont-Noir où elle gambadait, petite fille : « Dites à Monsieur et Madame Dufour [en 1980, ils étaient propriétaires de la villa édifiée au-dessus des anciennes écuries du château] que l'un des plus beaux moments de la journée a été celui où j'ai pu considérer un peu longuement, d'une fenêtre de leur chambre à coucher, le paysage presque identique à celui que je regardais de ma chambre d'enfant. Le temps était aboli. »

Au rez-de-chaussée de l'actuelle Villa Mont-Noir, alternent silence créateur et lectures de textes composés par des écrivains en résidence. Des écuries, devant lesquelles, en 1902, « Fernande en amazone se tient de son mieux sur la jolie jument que le palefrenier Achille contrôle à l'aide d'un long licou en riant pour rassurer Madame[5] », il ne reste que ces trois grandes portes cochères, surprenantes pour une maison d'habitation.

Non loin, on remarque deux édicules : vers le bas, un joli kiosque de briques et de tuiles, le chalet aux chèvres, vers le haut, un surprenant cabinet d'aisance à deux entrées – celle des maîtres et celle des domestiques – , poétiquement baptisé le chalet aux roses, qui porte la date de 1858.

Il faut marcher un petit moment avant d'arriver à la ferme Cappoen. Le fermage était la principale source de revenus de la famille Crayencour : « Les mille hectares de terre dont Michel Charles et Noémi tirent vanité représentent une trentaine de fermes[6]. » « L'importance des fermes se calcule au nombre de chevaux : une ferme à un cheval donne tout juste au couple paysan et à ses enfants de quoi vivre et payer le propriétaire ; les fermes à deux chevaux sont déjà plus prospères ; celles qui possèdent une cavalerie plus considérable ont aussi des étables mieux garnies et emploient des ouvriers traités et nourris aussi bien ou aussi mal que la famille[7]. »

Marguerite doit avoir hérité de son grand-père le plaisir de parler simplement avec les gens du pays. Sa gentillesse, lors de ses visites, rappelle la courtoisie du propriétaire du Mont-Noir : « On apprécie d'ailleurs les bonnes manières de Michel Charles : même en plein vent, il se découvre devant la fermière ; il flatte les bêtes et sait le nom des enfants. Mais surtout il est des leurs : il parle flamand. Séduit comme toujours par les agréables visages, il s'attarde à échanger quelques mots avec une jeune et fraîche vachère. Le vieux fermier assis sur le seuil prend sur ses genoux le petit qui vient d'explorer la basse-cour, le soulève à bout de bras, comme les bons paysans, dans les gravures sentimentales du XVIIIe siècle, le font du fils du seigneur, et murmure avec admiration :

– Mynheer Michiel, vous serez riche[8] ! »

Cette prophétie ne se réalise pas puisque Michel, le père de Marguerite, est amené à vendre, un peu plus d'un demi-siècle plus tard, la propriété familiale. « La vente du Mont-Noir [...] nous éloignait définitivement du Nord[9]. »

Marguerite Yourcenar y reviendra par l'écriture et rassemblera, dans son autobiographie, les parcelles dispersées par la vente.

Il faut remonter la pente douce en direction de la Belgique pour aller voir la grotte, attendrissante à force d'être kitsch, qui jouxte un élégant ermitage. Comme nombre d'édifices religieux de cette région où l'on ne connaît que la brique, elle est en pierre, matériau rare : « Le parc du Mont-Noir contenait une de ces grottes que les propriétaires de la fin du XIXe siècle se faisaient volontiers creuser, influencés par Lourdes, un peu comme leurs ancêtres s'étaient fait construire des ruines d'après Piranèse. Notre grotte, close d'une grille qu'on laissait toujours grande ouverte, était faite de cailloux cimentés et égalisés à la truelle, galets de l'antique fond marin des Monts-de-Flandre. Le sol, les murs, la voûte étaient formés de ce même cailloutis d'où suintait, par temps humide, un peu d'eau rougeâtre, ferrugineuse sans doute, comme j'en ai vu suinter sur les parois des petits mithraeums creusés par les soldats romains au nord de l'Angleterre [10]. » Deux dévotions se mêlent en ce lieu : à la Salette puisque c'est le nom de l'oratoire, à Lourdes puisqu'on a choisi le décor d'une grotte.

Nous revoilà à la grille, prêts à quitter ce domaine auquel elle a consacré tant de pages parce qu'elle avait appris là à aimer la nature. « Je revois surtout des plantes et des bêtes [1]. » Louis Sonneville lui a fait un plaisir infini en lui adressant, en décembre 1977, quelques oignons de ces jacinthes qui bleuissent les pentes du Mont-Noir au mois de mai : « Sachant la douane sévère pour les exportations de semences et d'oignons ou plantes non acccompagnées

d'un permis obtenu par l'horticulteur, je tremblais pour les jacinthes et la terre du Mont-Noir. Mais j'avais tort : le colis est arrivé en parfait état[12]. » Reprenons la route des Flandres pour explorer les alentours de ce Mont-Noir. Un regard circulaire, avant de descendre vers les bourgades voisines de Saint-Jans-Cappel et Bailleul : à droite, la frontière belge, à gauche, la Trappe du Mont-des-Cats, en face, la mer du Nord.

52

NOTES

1. *Quoi ? L'éternité,* p.1328
2. *Archives du Nord,* p.1082.
3. *Quoi ? L'éternité,* p.1188.
4. *Les Yeux ouverts, entretiens avec Matthieu Galey,* Bayard, 1997, p.17.
5. *Souvenirs pieux,* p.943.
6. *Archives du Nord,* p.1077.
7. *Archives du Nord,* p.1077.
8. *Archives du Nord,* p.1078.
9. *Archives du Nord,* p.1078.
10. *Quoi ? L'éternité,* p.1335-1336.
11. *Quoi ? L'éternité,* p.1327.
12. Lettre à Louis Sonneville du 6 décembre 1977.

« La vente du Mont-Noir [...] nous éloignait
définitivement du Nord. »

La Flandre
oubliée ?

La jeune fille qui s'inscrit à l'université en 1920 sous le nom de Cleenewerk de Crayencour publie, la même année, à compte d'auteur, *Le Jardin des chimères* sous le pseudonyme de M. Yourcenar. Ce nouveau nom, qui n'a plus rien de flamand – Marguerite avoue aimer « l'initiale Y dont la forme fait songer à un carrefour ou à une branche[1] » –, devient officiel en 1947 lors de la naturalisation américaine de l'écrivain. Renoncer au patronyme, c'est clairement couper les liens avec une famille dont elle est le mouton noir par ses choix de vie : errance, amour, écriture... Pendant quelques décennies, la petite enfance au Mont-Noir recule dans le temps, semble oubliée, jusqu'au jour où Marguerite se fait mémorialiste, explore ses souvenirs et réinvente ses origines flamandes.

Son but ? Elle le confie à Claude Gallimard dans une lettre du 18 février 1977 : « Je m'étais dit qu'il faudrait bien

une fois essayer d'évoquer le passé d'une famille, ou plutôt d'un groupe, sans larme au coin de l'œil, sans condescendance amusée cachant çà et là les bouffées des vanités des familles, sans récriminations, embarras ou exaspération non plus. Rien que ce qu'on sait, et avec le courage de mettre les points d'interrogation quand on ne sait pas... C'était une passionnante expérience humaine à tenter[2]. » Cette déclaration de principe apparaît comme un retour surprenant vers un passé dont on la croyait définitivement détachée.

Mais n'oublions pas qu'au sortir de l'adolescence, elle avait fait le projet d'un roman historique où elle aurait utilisé le matériau familial. Il faut aussi garder en mémoire que, dès les premières œuvres, sont convoqués – implicitement – des membres de sa famille : M. de C., c'est ainsi qu'elle appelle le personnage de *Remous,* ce roman écrit vers sa vingtième année, puis qu'elle a jeté en ne gardant que trois récits qui constituent *La Mort conduit l'attelage. (D'après Dürer, D'après Greco, D'après Rembrandt).* Dans ses notes de *L'Œuvre au noir,* elle indique rapidement : « A deux ou trois exceptions près, les noms des personnages fictifs sont tirés d'archives ou de généalogies, parfois celles de l'auteur lui-même[3] ». Elle réitère ce choix trente ans plus tard : « Un Philippe de Bourgogne, écuyer, un Jacques de Bavelaere de Bierenhof, « noble homme », ou encore une Jeannette Fauconnier, un Jean Van Belle, un Pradelles Van Palmaert dont j'ai distribué librement les noms à des comparses de *L'Œuvre au Noir*[4] ». Il semblerait que Marguerite Yourcenar ait toujours pensé les membres de sa famille, Belges de Wallonie et Français de Flandre, comme emblématiques de l'humanité.

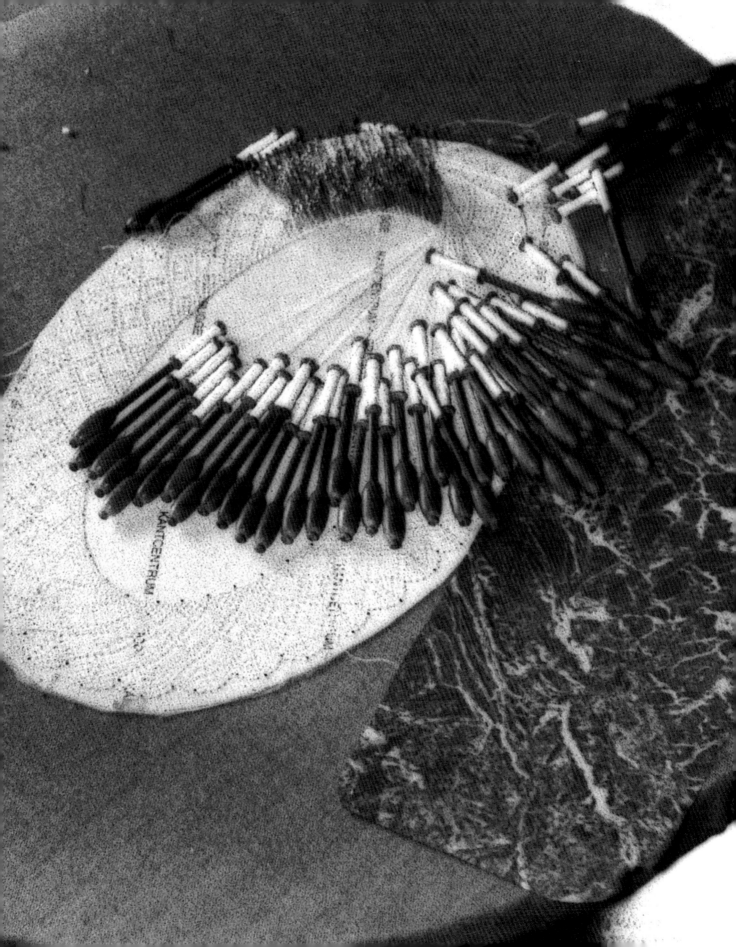

Il n'est pas question de réduire l'universalisme de Marguerite Yourcenar ou de le confiner aux rives de l'Escaut ! Reste que les affleurements de la Flandre sont innombrables, avec l'œuvre et avec l'être, en creux ou en relief. L'affection, par exemple, que témoigne Marguerite aux habitants de Saint-Jans-Cappel vient probablement de leur enracinement commun ; sont-ils de sa famille, se demande-t-elle, les Adriensen de Dunkerque, qui portent le même nom que ses aïeux ? Peu importe : ils « ont respiré le même air, mangé le même pain, reçu en plein visage la même pluie » qu'elle. « [...] Ils sont mes parents du fait d'avoir existé[5]. »

Allons plus loin. Dès que Marguerite Yourcenar se lance dans cette entreprise de mémorialiste, où elle prétend serrer la vérité au plus près – celle de sa famille, donc celle de toutes les familles –, sa palette se souvient des tableaux de maîtres flamands : « Vers le début du XVIᵉ siècle, un petit personnage nommé Cleenewerk devient visible, minuscule à cette distance comme les figures que Bosch,

Breughel ou Patinir plaçaient sur les routes à l'arrière-plan de leurs toiles pour servir d'échelle à leurs paysages[6]. » Est-ce là une simple référence culturelle pour renforcer la couleur locale ? Est-ce une trace vraie de son imprégnation, de son ancrage flamands ? Quoi qu'il en soit, elle partage avec ces peintres le goût du détail réaliste, comique ou dramatique, poignant ou ridicule. Ce faisant, elle donne chair à son nom de Cleenewerk : non pas « gagne-petit », ou, plus pittoresquement « n'en-fait-guère », comme elle le dit dans *Archives du Nord*, mais, de manière plus positive : celui qui effectue un travail *(werk)* de précision jusque dans les détails, un menuisier, par exemple, mot où l'on retrouve l'adjectif menu *(cleen)*. Mais peut-être préfère-t-elle le côté dilettante de la première étymologie.

Au moment de l'écriture de *Souvenirs pieux* qui explore, de façon quelque peu distante, Bruxelles et le Hainaut belge de la famille maternelle, elle sait déjà qu'elle écrira aussi la chronique de la branche paternelle. Mais l'exploration des versants du Mont-Noir la mène à son histoire intime, « puisque c'est sur lui que j'ai vécu enfant », comme le rappelle une plaque scellée dans le mur d'entrée de l'ancienne propriété familiale. « L'histoire de mon milieu paternel, dont je connais mieux les détails, celle de mon père, que j'entrevois à travers les bribes de récits qu'il m'a faits et refaits, tiennent déjà de plus près à la mienne, et il en est de même de la description des lieux-dits et des régions où j'ai passé ma petite enfance. Elles sont inséparables de mes propres souvenirs et viendront plus tard[7]. »

Le véritable berceau de la famille Cleenewerk se situe à Caëstre, à mi-route entre Bailleul et le mont des Récollets, donc au sud-ouest du Mont-Noir : « Il y avait,

1/10

raconte Louis Sonneville lors de l'exposition consacrée à Marguerite Yourcenar le 15 décembre 1980 à Saint-Jans-Cappel, près de Terdeghem, près de Caëstre, un domaine qui s'appelait la Seigneurerie de Crayencour [...]. Cette famille s'est alliée à presque toutes les grandes familles de Bailleul. »

« Caëstre, bourg situé entre Cassel et Bailleul, [...] n'est aujourd'hui qu'une agglomération quelconque, mais qui participait à la forte vie des petites villes de la Flandre espagnole par ce beau matin de la Renaissance : Caëstre avait alors sa commanderie de l'ordre de Malte, son ou ses églises paroissiales, sa "justice" dressant sur l'horizon sa structure de gibet, et gardait sans doute les traces du camp romain qui donna son nom à la localité. Ce gros bourg avait aussi sa Chambre de Rhétorique dont les membres se rassemblaient pour rimailler les ballades ou rondeaux, préparer les "joyeuses entrées" de personnages importants, accompagnées de compliments versifiés, monter avec luxe des pièces tirées de l'histoire sainte ou des farces[8]. »

La famille Cleenewerck de Crayencour s'installe ensuite à Bailleul, qui n'est éloigné que de six kilomètres du Mont-Noir. L'ancienne voie romaine passe devant le collège de jésuites en pierre de taille, transformé aujourd'hui en école dentellière. Elle prend alors le nom de rue du Collège, bordée de maisons patriciennes dont l'une était celle de Noémi, la mère de Michel, de qui vient la richesse ; elle le répète assez ! Au fond, le parvis de l'église Saint-Waast séparé de la grand-place par une ruelle. Comme dans toutes les villes flamandes, chaque demi-heure, chaque heure sont saluées par le carillon du beffroi. Cette tour, devant l'hôtel de ville, symbolise la puissance civile et conjugue élégance archi-

tecturale et fonction stratégique. Les quatre côtés de la vaste place où se tient chaque semaine un marché et, selon les fêtes, kermesses et carnavals, sont bordés de maisons à pignons au sommet caractéristique des cités flamandes : deux escaliers joliment appelés « pas de moineaux ». Avec ses volets frisons, peints en vert, blanc et rouge vif, ses façades de brique jaune ou rouge, Bailleul cousine avec Saint-Omer, Arras, Béthune, Lille, Douai, Ypres, Bruges, Anvers, Tournai...

Au touriste assez curieux pour visiter des villes situées au nord de la Loire, la ville de Bailleul signale, non sans humour, qu'elle a été détruite huit fois, dont cinq par les troupes françaises. L'ancrage flamand est tenace dans cette cité, qui s'appelle Belle du côté belge. Du côté français, elle a gardé ses consonances latines : *ballodium* a donné le nom commun de baille qui désigne le creux résultant des travaux effectués lorsque l'on veut élever une motte féodale sur une plaine. Lieu de défense, le bourg a donc souvent été l'enjeu des belligérants français, espagnols, italiens, anglais, allemands... « Guillaume Van der Walle, aïeul d'une aïeule, se rend en 1582 au siège de Tournai pour implorer le Prince de Parme d'épargner Bailleul ; il meurt sans doute d'une fièvre quelconque, durant cette ambassade, et sa requête n'est pas entendue : Bailleul est au trois quarts détruit la même année par les soudards d'Alexandre Farnèse ; relevé en partie par ses habitants, il est repillé et rebrûlé en 1589 ; la famine suit de près la guerre ; la ville perd par la mort ou le départ les deux tiers de ses habitants. [...] Bailleul brûle de nouveau en 1657, incendié par les soldats de Condé. Au mal des Ardents succède la peste[9]. »

Quand Marguerite évoque ses propres souvenirs en Flandre, ce ne sont pas seulement des lieux qui surgissent, Saint-Jans-Cappel, Bailleul, Caëstre, mais aussi des visages qu'elle retrouvera, vieillis, lors de cinq ou six visites au Mont-Noir, à la fin de sa vie : Marie Joye, sa compagne de jeux, Louis Sonneville, son ami de Saint-Jans-Cappel avec lequel elle entretient une longue correspondance, Marcel Croquette, invité des goûters de Noémi, sont morts, maintenant ; Monsieur Flauw, ancien maire du village, est, lui, toujours prêt à parler de la « Demoiselle du château ». « La nouvelle de la mort de Marie Joye, écrit Marguerite Yourcenar le 27 février 1983, m'emplit de tristesse, mais elle était elle-même, la bien nommée, si joyeuse que quelque chose de son rayonnement persiste. Je vous en prie, portez pour moi toute l'expression de ma sympathie à sa fille Cécile. Je n'oublierai jamais nos premières rencontres, il y a des années, dans la petite maison au seuil du Mont-Noir, ni combien elle était royale, assise avec moi parmi les résonances du *vivat* flamand. J'aime souvent à me dire que le monde un peu partout est riche d'êtres pareils dont on ne sait rien en dehors d'un petit cercle d'amis [10]. »

Les habitants de Saint-Jans-Cappel rendent un hommage appuyé à l'écrivain dont l'enfance a croisé la leur. Dans ce village qui se love au pied du Mont-Noir, ils pouvaient parfois profiter d'une aubaine : monter au château dans l'automobile de Michel de Crayencour. « *Kijk, de kloefe komt !* » « Regardez ! il arrive, le sabot ! » C'était le surnom donné par les enfants à la voiture. Par révérence, ils ont, jusqu'à présent, refusé de « géantifier » Marguerite Yourcenar, c'est-à-dire de donner son visage à l'un de ces

mannequins géants que l'on promène le jour du Carnaval dans les villes du Nord, alors qu'ils l'ont fait du dernier meunier de Boeschepe ou d'un joyeux colporteur de Noordpeene, Tisje-Tasje, figures locales populaires.

De même, les citoyens de Bergue, ville voisine, n'avaient pas « géantifié » celui qui fut leur député au XIXe siècle : Alphonse de Lamartine.

« Plus tard, à l'âge où l'on me fera jouer le rôle de petite maîtresse de maison, on invite des groupes d'enfants dont quelques-uns, octogénaires aujourd'hui, se souviennent encore du goût des pommes du verger[11]. » Ce souvenir rejoint le témoignage radiophonique suscité par l'un des retours les plus marquants de Marguerite Yourcenar au Mont-Noir et au village de Saint-Jans-Cappel, le 15 décembre 1980. Marcel Croquette raconte : « Mad'moiselle Marguerite, elle s'est levée, elle nous a donné la main, elle nous a souhaité la bienvenue, elle a été très agréable. Et alors, elle a sorti une petite boîte de cette grandeur-là, ça j'm'en souviens très bien, et elle a ouvert cette boîte et c'était un rouleau qui tournait, vous savez, avec toutes ses piques dessus ; alors ça faisait une

« Bailleul, où mes ancêtres allaient s'établir
au siècle suivant, avait au Moyen Age
son comptoir à Londres avec dix-huit autres
villes de la Hanse Flamande : sa toile avait
navigué jusqu'à Novgorod. »

musique, quoi ! J'me rappelle, la première chose qu'elle a jouée, c'était l'Ave Maria de Lourdes [11]. »

C'est à lui que pense Marguerite quand elle évoque la procession où elle était habillée en Élisabeth de Hongrie : « Un petit saint Jean à poitrine nue couvert d'une peau de mouton me semblait très beau ; c'est lui, je suppose, ce monsieur Croquette, ou quelque autre des vieux du village, que je retrouve à chacune de mes rares visites à Saint-Jans-Cappel [12]. ».

En conversant avec lui, elle a plaisir à entendre cet accent qui a bercé son enfance, l'accent chantant, aux « r » roulés, de ceux dont la *moedertaal*, la langue maternelle, est le *westvlaams*, le flamand de l'ouest. « Les sympathiques histoires du passé sont toutes rangées dans mon souvenir avec la voix et les traits de M. Croquette [13]. »

Caëstre, Meteren, Bailleul délimitent un espace affectif dont le Mont-Noir est le centre. Quand, en juin 1979, elle apprend qu'une métairie de l'ancienne propriété familiale est à vendre, elle écrit à Louis Sonneville : « Loin d'être, comme vous avez pu le croire, indifférente à votre lettre concernant la ferme du Mont-Noir, j'en ai été obsédée à un degré que je n'imaginais pas possible [14]. » Ne faisons pas Marguerite Yourcenar plus flamande qu'elle ne l'est ; pas moins non plus : le bonheur qu'elle éprouve à être en Flandre est tout à la fois celui de l'enfant qui a passé là de bons moments et de l'adulte qui retrouve quelques interlocuteurs dont elle comprend la sensibilité. C'est aussi celui de l'écrivain qui a su labourer une terre et lui faire porter ses fruits, et surtout celui de l'esthète qui ne dissocie jamais la création artistique de la vie. L'espace affectif où elle a plaisir à se replonger est trans-

figuré par l'écriture.

Il y a Dranoutre, petit hameau entre le Mont Kemmel et le Mont-Noir, à neuf kilomètres de Saint-Jans-Cappel, et il y a sa métamorphose littéraire, avec l'épisode de la *Fête à Dranoutre*, au début de *L'Œuvre au noir*.

C'est finalement sur ce point qu'elle conclut l'un de ses voyages dans le Nord où Catherine Claeys lui demande de décrire ses retrouvailles avec le paysage des monts de Flandre : « J'ai retrouvé du haut du premier étage d'une maison où j'étais reçue et qui était construite sur l'ancienne orangerie de la propriété où j'ai été élevée, un très beau paysage de prairies et d'arbres à peu près comme je l'ai connu enfant. Ici, il y a comme en Hollande, comme dans la Flandre belge, je dirais même dans le Danemark, ces immenses paysages plats avec des grands ciels, où les nuages changent sans cesse l'immensité du ciel, l'humilité et la modestie, et en même temps, la solidité des constructions humaines paysannes, la beauté des arbres, la beauté des grandes rangées d'arbres dessinant, en quelque sorte, la ligne de

l'horizon et la beauté d'une atmosphère qui change sans cesse, comme dans certains tableaux du XVIIᵉ siècle qui ont merveilleusement senti cette beauté particulière du Nord[15]. »

NOTES

1. Lettre à Bernard Offner, 12 décembre 1967 in *Lettres à ses amis et quelques autres,* Gallimard, 1995.
2. Citée par Michèle Goslar *in Yourcenar, Qu'il eût été fade d'être heureux* éd. Racine, 1998, p.279.
3. Gallimard, folio, 1968, p.463-464.
4., *Archives du Nord,* p.969.
5. *Archives du Nord,* p.992.
6. *Archives du Nord,* p.968.
7. *Souvenirs pieux,* p.749.
8. *Archives du Nord,* p.968.
9. *Archives du Nord,* p.981.
10. Lettre à Louis Sonneville, 27 février 1983.
11. *Quoi ? L'éternité,* p.1194.
12. Document personnel de Catherine Claeys.
13. *Quoi ? L'éternité,* p.1334.
14. Lettre à Louis Sonneville, 23 décembre 1980.
15. Lettre à Louis Sonneville, 5 juin 1979.

« Je pense seulement que nous allons tous à l'Éternel
par des voies peut-être différentes, et encore ne sont-elles
pas si différentes que cela. »

Je vous salue, Kwannon pleine de grâce

Dans un cercle de vingt lieues de diamètre[1] », dont le Mont-Noir est le centre et qui englobe Dunkerque, Douvres et Ypres, Lille, Bruges et Ostende, bref un morceau de France, de Belgique et d'Angleterre, s'est jouée, tragique et grandiose, la formidable partition de l'histoire religieuse de l'Occident : dévotion prudente et mysticisme dérangeant, bûchers de l'Inquisition et exode des protestants, catholiques assidus et jansénistes austères, destructions iconoclastes et floraisons baroques, chairs potelées des anges de Rubens et figures émaciées de Rembrandt, affrontements inscrits au cœur de *L'Œuvre au Noir*.

Au début du XXe siècle, en France, la violence ressurgit entre adversaires et partisans de la religion. L'enfance de Marguerite est, pour l'époque et compte tenu de son milieu, protégée de ces querelles. C'est à Saint-Jans-Cappel que s'éveille son sentiment religieux. L'église est à l'origine une chapelle érigée en l'honneur de saint Jean-Baptiste : les fonts baptismaux sont surmontés d'une statue du saint du XVIIe siècle, en bois polychrome. Deux plaques commémorent l'édification de chapelles votives en l'honneur des deux premières femmes de Michel de Crayencour, Berthe et Fernande. C'est moins le bâtiment, pourtant flanqué d'une belle tour carrée du XVIe siècle, qui retient l'attention de Marguerite, que les combats idéologiques dont cette terre fut le cadre historique.

Au centre du village, au mur de ce qui fut une auberge, il y a encore un de ces anneaux en fer où l'on attachait les chevaux, ce que faisait le cocher avant d'aller boire à l'estaminet, tandis que, par devoir, la famille assistait à la messe depuis le « "banc du Seigneur" (par lequel on n'en-

tendait jamais le Seigneur Dieu)[2] ». Au début du XXe siècle, le prêtre y prêche en un français mal compris des personnes âgées qui ne parlent que le flamand.

Le père de Marguerite préfère au curé le supérieur de l'abbaye trappiste voisine : il lui suffit d'une promenade à cheval d'une heure pour descendre le versant ouest du Mont-Noir, affronter « l'ascension un peu rude[3] » du Mont-des-Cats et atteindre l'abbaye Sainte-Marie-du-Mont, souvent détruite, toujours reconstruite. Michel est un homme « qui n'a jamais cru, et n'a même jamais pris la peine de se demander s'il croyait ou ne croyait pas[4] ». C'est un esprit libre, assez fort pour oser défendre l'Eglise dans les violentes querelles qui opposent le clergé à la Troisième République. Bien qu'athée, il aime à discuter avec le père abbé. Ce supérieur n'est pas nommé dans *Le Labyrinthe*

du Monde. Marguerite Yourcenar amalgame la figure de deux moines : Dom Parent, abbé de 1889 à 1906, a dû être l'interlocuteur de Michel de Crayencour ; c'est son prédécesseur, Dom Wyart, abbé au Mont-des-Cats de 1883 à 1889, officier pendant la guerre de 70 puis zouave pontifical, qu'elle décrit.

Cette confusion, peu importante dans une œuvre littéraire, fait cependant douter de la vérité historique de la scène suivante : lorsqu'en 1906, probablement, les moines sont sommés, par la République, de quitter leur couvent, le sous-préfet du Nord est chargé de veiller à la bonne exécution de cette expulsion. L'écrivain raconte que Michel de

Crayencour assiste en gêneur à la scène, la ponctuant toutes les cinq minutes d'une même acclamation ironique : « Vive la liberté[5]! ». Or, il semblerait que les moines n'aient pas eu à quitter les lieux. Cette provocation, telle qu'elle est évoquée, n'est pas sans rappeler l'attitude, avérée, du capitaine Magniez dont Marguerite a, à coup sûr, entendu parler : à Saint-Jans-Cappel, le 20 novembre 1906, cet officier reçoit l'ordre de briser les portes de l'église pour que la force publique puisse y procéder à l'inventaire des biens ecclésiastiques, auquel paroissiens et curé se refusent. Il n'obtempère pas. Conseil de guerre, dégradation, privation des droits à la retraite sont la sanction de sa rébellion. En réponse, le képi du capitaine Magniez est, aussitôt, mis sous globe, dans l'église, sous une statue de Notre-Dame de Lourdes.

La liberté de pensée, que Marguerite a héritée de son père et manifestée plus ostensiblement peut-être, n'est pas monnaie courante dans la Flandre où le conservatisme religieux est profondément ancré. Un prêtre passe sa vie à lutter contre cet immobilisme et à être la cible des vilenies de la droite catholique : l'abbé Lemire, député-maire d'Hazebrouck de 1893 à sa mort en 1928. C'est un ami de Michel de Crayencour ; c'est l'un des trois hommes à « l'intégrité sans faille[6] » que Marguerite Yourcenar a rencontrés dans sa vie. Sa volonté en matière de politique sociale était que chaque famille d'ouvriers possède sa propre maison et un jardin pour y cultiver un potager.

Derrière l'église Saint-Éloi d'Hazebrouck, on peut se promener dans le béguinage construit par l'abbé : quelques rangées de maisons ouvrières, confortables pour l'époque, protégeaient la dignité de leurs occupants. « Pâle,

lent, très grand dans sa soutane usée, c'était évidemment quelqu'un qui ne se préoccupait jamais de l'effet produit sur les autres[7]. » « Une grande spiritualité émanait de ce visage, dont je me suis rendu compte plus tard qu'il aurait pu être celui d'un abbé janséniste du XVIIᵉ siècle[8]. »

Marguerite Yourcenar projette dans le passé sa liberté de pensée : dans *Archives du Nord,* elle s'attache, plutôt qu'à ses ancêtres bien-pensants, à ce Thomas Cleenewerk

qui « va à pied de sa prison de Bailleul au Mont des Corbeaux, lieu de sa décolla-tion[9] », supplicié pour ses sympathies pro-testantes. Cet aïeul potentiel a probable-ment inspiré partiel-lement le personnage de Zénon, héros de *L'Œuvre au Noir.*

La Flandre, après quelques hésitations, reste catholique. Les protestants lui pré-fèrent l'Angleterre ou les Pays-Bas. Ypres est le berceau des jansénistes. Elle est la ville de l'évêque condamné par Rome pour sa lecture jugée

91

hérétique des œuvres de saint Augustin, et sa théologie de la grâce qui serait réservée aux seuls élus. « Une tradition m'assure que mon aïeul Hyacinthe de Gheus et sa femme Caroline d'Ailly choisirent de se faire enterrer dans le chœur de la cathédrale d'Ypres, le plus près possible de la dalle marquée seulement d'une date qui, au centre du pavement, indique la sépulture de l'évêque Jansen, dit Jansénius [10]. »

Entre ces deux positions austères, protestantisme et jansénisme, les deux branches de la famille de Marguerite adoptent un catholicisme traditionnel, peu engagé, raisonnable, jamais remis en cause, qu'on tente de lui transmettre, sans succès. Chez elle, aucune acceptation d'une foi unique, et peu ou pas de trace de mysticisme : l'émotion est d'ordre artistique.

Dans *Souvenirs pieux,* l'auteur décrit une pratique religieuse qui ne la touche guère, parce que trop conventionnelle, privée qu'elle est de tout élan spirituel ou artistique dans la famille maternelle : « On est catholique comme on est conservateur [...] on parle beaucoup du Bon Dieu, rarement de Dieu [11]. » Les images religieuses elles-mêmes semblent aseptisées : « Jésus est vu presque exclusivement sous deux aspects : le gentil bambin dans la crèche et le Christ d'argent ou d'ivoire des crucifix, en qui ne subsistent presque rien des stigmates de la douleur physique qui bouleverse chez les crucifiés du Moyen Age. Supplicié bien propre, sans traînées de sang, ni spasme d'agonie [12]. »

Certaines œuvres religieuses flamandes, en revanche, marquent la petite Marguerite. Tandis que les protestants ont dépouillé leur lieu de culte de tout décor, les catho-

liques ont surchargé les murs de leurs églises d'œuvres pieuses. Les Pays-Bas du Nord (actuels Pays-Bas) accueillent plus volontiers les peintres dans leurs intérieurs que dans leurs temples. Les Pays-Bas du Sud (actuelle Belgique et nord de la France) invitent, à grands frais, les artistes européens à mettre en scène la puissance de la royauté, le sacrifice de la sainteté et la pureté de la virginité. A la simplicité des crucifix des Réformés, ne portant pas le corps du Christ, s'oppose la floraison baroque des statues de saints intercesseurs et de vierges protectrices.

Les plus petits villages de Flandre possèdent des trésors d'art religieux dans leurs églises : Arneke, Wemaers-Cappel, Ochtezeele, Zermezeele, Wahrem, Herzeele, Zegerscappel, Oudezeele... sont riches en retables, en peintures, en sculptures. Et tout ceci, objet de ferveur pieuse pour les paroissiens, est perçu différemment par Marguerite : « Mais tout s'effaçait devant l'effigie, aperçue çà et là dans les églises de Flandre du Jésus couché, raidi, tout blanc, quasi nu, tragiquement mort et seul. Qu'il s'agît d'une œuvre inégalée d'un sculpteur du Moyen Age ou d'une bondieuserie coloriée de la place Saint-Sulpice, m'importait peu. Je crois bien que c'est devant une de ces images que j'ai ressenti pour la première fois le curieux mélange de la sensualité qui s'ignore, de la pitié, du sens du sacré [13] »

Malgré l'évocation de l'alliance d'une de ses ancêtres avec le peintre catholique Rubens, elle n'éprouve pas d'émotion quand elle contemple ces tableaux religieux. Ce qu'elle voit dans cette peinture, c'est la restitution de la matière : une chair décomposée dans l'œuvre catholique opposée à la chair désirable des matrones ou des sirènes de

« Quand on chemine dans la plaine
qui va d'Arras à Ypres,
puis s'allonge, ignorant nos frontières
vers Gand et vers Bruges. »

la mythologie grecque. : « Le sacré n'est pas son domaine. Tout art baroque glorifie la volonté de puissance ; le sien répond spécifiquement au besoin de régner, de posséder et de jouir d'une clique dorée juchée tout en haut de l'Europe de la guerre de Trente ans [14]. »

L'émotion religieuse, c'est, plutôt, devant un tableau de Rembrandt qu'elle la perçoit : « Je me souviens d'avoir vu, au cours d'une brève visite à l'Ermitage en 1962, un paysan appartenant à une quelconque délégation venue du fond de l'Union soviétique s'attarder un instant devant un Christ

de Rembrandt, que venait de nommer distraitement la voix mécanique d'un guide, et faire rapidement le signe de la croix. Je ne crois pas qu'un Jésus de Rubens ait jamais suscité le même geste [15]. » Le comportement est admirable parce qu'il rend tout son sens à l'objet : le temps d'un signe, le tableau redevient une œuvre emplie de foi et non plus seulement une œuvre d'art ; mais aussi, ou même surtout, parce que le visiteur russe fait fi des schismes qui ont divisé l'Église. Orthodoxe, il témoigne son respect au Christ à travers une œuvre protestante.

Éloigné de toute forme de dogmatisme et d'intolérance, Michel de Crayencour avait laissé la petite fille s'imprégner d'un sentiment religieux fortement teinté de poésie et de beauté. Le syncrétisme convient mieux à Marguerite que la foi catholique romaine : « L'enfant du Mont-Noir ne différait pas tant d'une jeune Japonaise entourée de huit millions de *kami* dont on n'a même pas à connaître les noms, ou des enfants gallo-romains sur les mêmes lieux, sensibles à la puissance anonyme des bois et des sources [16]. »

D'où la litanie inventée par la jeune femme au long de ses pérégrinations et qui prend une étrange résonance face à la grotte de Notre-Dame-de-la-Salette, dans le parc du Mont-Noir : « Cette prière qui est un poème, je l'ai récitée depuis en plusieurs langues, et en changeant le nom de l'entité symbolique à laquelle elle est adressée. "Je vous salue, Kwannon pleine de grâces, qui écoutez couler les larmes des êtres", "Je vous salue, Schechinah, bienveillance divine", "Je vous salue, Aphrodite, délices des dieux et des hommes [17]"... ».

Elle ne changera pas de position. Dans une lettre à Louis Sonneville, datée du 18 mars 1978, elle confie : « Je

pense seulement que nous allons tous à l'Éternel par des voies peut-être différentes, et encore ne sont-elles pas si différentes que ça. » Deux ans plus tard, elle revient sur le sujet : « Tous les rites sont beaux. J'aime les rites. Les bases de ma culture sont religieuses, et mon public l'ignore complètement, ne le voit pas [18]. »

NOTES

1. *Archives du Nord*, p.979.
2. *Quoi ? L'éternité*, p.1331.
3. *Quoi ? L'éternité*, p.1190.
4. *Quoi ? L'éternité*, p.1190.
5. *Quoi ? L'éternité*, p.1192.
6. *Quoi ? L'éternité*, p.1399.
7. *Quoi ? L'éternité*, p.1399.
8. Lettre à Jean-Marie Mayeur, le 27 décembre 1969, *in Lettres à ses amis et quelques autres*, Gallimard, 1995.
9. *Archives du Nord*, p.979.
10. *Archives du Nord*, p.985.
11. *Souvenirs Pieux*, p.784.
12. *Souvenirs Pieux*, p.785.
13. *Quoi ? L'Eternité*, p.1335.
14. *Archives du Nord*, p.997.
15. *Archives du Nord*, p.997.
16. *Quoi ? L'éternité*, p.1333.
17. *Quoi ? L'éternité*, p.1331.
18. *Les Yeux ouverts*, op. cit., p.35

« Je pars, Wiwine, répéta Zénon. Je vais voir
si l'ignorance, la peur, l'ineptie
et la superstition verbale règnent ailleurs qu'ici »

Le retour
à Bruges

arguerite Yourcenar a toujours vécu avec ses personnages, qu'ils se nomment Hadrien, Michel de Crayencour, Jeanne de Vietinghoff ou Zénon. Une fois l'œuvre achevée, l'auteur ne se détachait pas d'eux, comme on ôte sa veste. Ils sommeillaient en elle pendant des décennies, la « visitaient », qu'ils fussent historiques (Hadrien), contemporains (Michel et Jeanne) ou fictifs (Zénon). parfois ces personnages se croisaient mystérieusement. Une illustration frappante d'un tel contact est fournie par la rencontre impossible qui a lieu dans *Souvenirs pieux* entre Zénon, figure fictive, et Octave Pirmez, écrivain bien réel qui était

un oncle lointain de la mère de Marguerite Yourcenar. Nous sommes à l'été 1879 ou 1880. Vêtu d'un costume blanc et d'un chapeau de paille, le dandy mélancolique se promène sur la plage de Heist près de Knokke. Félicien Rops, un ami de Pirmez, peindra cette plage six ans plus

tard. Prenons appui sur cette toile impressionniste pour rendre ses couleurs au décor : un bateau de pêche halé sur la plage, des cabines, quelques Anglaises indolentes avec chapeau et parasol. Tout à coup, un homme portant des vêtements élimés passe à hauteur de l'écrivain. Pour être plus précis : il passe littéralement à travers lui et à travers les demoiselles anglaises. L'homme se déshabille et entre, nu, dans l'eau. C'est Zénon. La mer, qui angoisse Pirmez, va purifier Zénon. Finalement, il ne fuira pas en Angleterre, mais retournera à Bruges pour y mourir – mais il ne le sait pas encore. Le dandy de 1880 a encore trois ans à vivre – mais lui aussi l'ignore.

M. Yourcenar conclut cette scène improbable par ces mots : « L'oncle Octave, tantôt m'émeut et tantôt m'irrite. Mais j'aime Zénon comme un frère. »

Restons au bord de la mer du Nord.

Après la vente du domaine familial au Mont-Noir, Michel de Crayencour acheta en 1912 une villa située sur la digue à Westende. Trois années d'affilée, la Villa Lumen sera la résidence estivale du père et de la fille. C'est à Westende qu'une jeune fille de onze ans vécut en août 1914 le déclenchement de la Première Guerre mondiale. Le tocsin des églises est le dernier souvenir qu'elle emporte

de Flandre. Le lendemain matin, en effet, le clan fuit à pied jusqu'à Ostende, où il s'embarque pour Douvres. En voyant s'estomper la ligne du littoral, Michel de Crayencour aura-t-il pensé aux casinos où il avait joué, aux bordels où il s'était initié au plaisir ou à la villa ostendaise où il avait rencontré la jeune Fernande, qui mourrait après la naissance de Marguerite à Bruxelles ?

Avant 1914, Marguerite a sillonné la Flandre avec son père : Ypres, Furnes, Courtrai, Bruges, les plages de la mer du Nord. Partout ils ont table d'hôte. Soixante ans plus tard, à Bruges, lorsqu'elle revoit l'église de Jérusalem en compagnie de Lucienne De Reyghere, elle dit avec ravissement : « C'est exactement comme je me la rappelle » (un certain scepticisme reste évidemment de mise lorsqu'il s'agit d'un écrivain qui contrôle et « monte » soigneusement sa vie).

En 1914, elle quitte donc la Flandre pour un demi-siècle. Laissez les choses sommeiller en elle, les dauphins qu'elle voit danser sur les flots pendant la traversée lui laissent une impression plus profonde.

L'intention de ce texte n'est pas de récupérer Marguerite Yourcenar. C'est par hasard qu'elle est née à Bruxelles et elle n'a jamais possédé la nationalité belge. Sans doute lui est-il arrivé par la suite de céder au topos de la « lente fougue flamande » qui se cacherait dans ses gènes, mais sa langue et sa culture sont incontestablement françaises. Son grand-père Michel-Charles parlait encore le « flamand » avec ses fermiers du Mont-Noir, mais plus son père. A la fin de sa vie elle regrettait de n'avoir jamais appris le néerlandais, mais elle ne le disait qu'à des néerlandophones.

« [...] et finalement il retourne à Bruges
parce que le monde est le monde partout, et
que partout il retrouvera en somme les mêmes
problèmes : il n'y a pas de sens à faire cet
immense effort de s'enfuir. »

La Flandre belge sert tout simplement d'arrière-plan à l'un de ses grands personnages, Zénon, et cette Flandre coïncide en partie avec le territoire de la famille paternelle tel qu'il est dépeint dans *Archives du Nord*.

Un coup d'œil à la chronologie (pas absolument fiable) que Marguerite Yourcenar a établie pour l'édition de la Pléiade montre combien de temps elle est restée absente de Flandre et de Belgique. En 1929, après la mort de son père, elle revient à Bruxelles pour régler des questions relatives à la succession de sa mère. Dans les années trente elle réside surtout en Italie et en Grèce. En 1939, elle quitte l'Europe pour l'Amérique. Elle ne retrouvera le vieux Continent qu'en 1951. Fin novembre 1954, elle fait un séjour rapide à Gand et à Ostende ; fin octobre 1956, elle revient en Belgique pour une série de conférences. Exception faite de Gand, elle s'arrête surtout à Bruxelles et en Wallonie. En novembre 1968, elle est pour quelque temps à Gand, à Bruges et au littoral en attendant de recevoir à Paris le Prix Femina pour *L'Œuvre au noir*.

La chronologie nous éclaire sur ce point : même si Marguerite Yourcenar est revenue à Bruges et en Flandre avec Zénon, la vraie Bruges et la vraie Flandre ne refont surface qu'après la rédaction de *L'Œuvre au noir*[1]. Une page de *Souvenirs pieux* est significative : c'est « penchée sur une carte routière des Flandres » que Marguerite Yourcenar, se trouvant de l'autre côté de l'océan en 1965, choisit Heyst (Heist) comme port d'où Zénon projette de fuir en Angleterre. Heist est préféré à des noms touristiques trop connus tels qu'Ostende ou Blankenberge. La « rencontre » entre Octave Pirmez et Zénon est également due à cette carte routière.

En avril 1971, Marguerite Yourcenar retrouve Bruges telle qu'elle l'a représentée sur le papier. Après sa réception à l'Académie royale de Belgique le 27 mars 1971, elle réside pendant un mois dans cette ville avec Grace Frick. A l'occasion d'une conférence au cercle littéraire Moritoen à Bruges en avril 1972, elle rencontre quelques femmes à qui elle continuera de rendre visite lors de ses passages ultérieurs à Bruges et avec lesquelles elle entretient une correspondance : Valentine Mertens-Conijn (son mari, Anthony, était le président de Moritoen) ; Lucienne De Reyghere, de la librairie établie sur la Grand-Place ; sœur Marie-Laurence, une Française qui a enseigné la littérature française au pensionnat du couvent anglais, et Katrien De Groote. Après la conférence au cercle Moritoen, Marguerite, accompagnée de Grace Frick, est reçue chez Katrien De Groote et son mari Jan Broes ; elle est curieuse de découvrir la demeure historique, avec sa façade de 1479, qu'ils occupent dans la Oude Zomerstraat. Ils y passent toute la soirée près de l'âtre. Le lendemain matin, Jan Broes apporte à l'hôtel Portinari (aujourd'hui partie du Collège de l'Europe au Dijver), où résident les deux dames, une clef gothique pêchée dans l'Escaut. Selon son habitude, l'écrivain réagit immédiatement par un mot de remerciement : « Cette belle clef [...] qui me sera très précieuse et deviendra pour moi symboliquement la clef de la demeure brugeoise de Zénon, et aussi la clef de l'amitié[2] ».

Durant ce mois d'avril, Marguerite marche sur les traces de Zénon : « En 1971, j'ai refait dans les rues de Bruges chacune des allées et venues de Zénon. » C'était sa façon d'assimiler et de fixer dans sa mémoire le paysage où se meuvent ses personnages, de se l'approprier en quelque sorte.

« Contrôle » : tel est ici le mot clef. En 1982, lorsque Katrien De Groote écrit à Marguerite pour lui demander si elle peut appliquer sur sa maison l'inscription : « La maison de Zénon », l'écrivain répond que l'inscription pourrait comporter tout au plus la formule suivante : « Auprès d'un tel feu, dans une telle maison (ou comme celle-ci) aurait pu vivre le Zénon de *L'Œuvre au Noir*[3]. » Et elle ajoute : « C'est la seule chose exacte que nous pouvons dire. »

Le feu de l'âtre est le souvenir le plus vivace que Marguerite garde de la maison de Broes-De Groote. A distance, il commença à vibrer et à rayonner sa chaleur. Le 17 juillet 1982, elle écrivait depuis les États-Unis : « Mettons que Zénon soit venu s'y réchauffer aussi, durant une de ses tournées de médecin... » Dans la même lettre, elle revient également sur la clef reçue de Jan Broes et qu'elle avait déposée sur le manuscrit achevé de *L'Œuvre au noir* : « Clef [...] dont j'imagine qu'elle ouvrait Dieu sait quelle porte, peut-être celle de son officine à l'Hospice Saint-Cosme ». Zénon continuait à vivre, et dans son esprit et dans la réalité.

A partir des années 80, Marguerite Yourcenar alterne voyages exotiques et séjours à Bruges, ville qui lui est désormais familière. La mort de Grace Frick en 1979 l'a délivrée d'une existence sédentaire. Débute alors le dernier frénétique « tour de la prison ». En Europe, Bruges fait partie désormais, avec Salzbourg, de ses villes préférées. En novembre 1980, elle y fait un séjour prolongé avec Jerry Wilson. Elle y achève la rédaction de son discours de réception à l'Académie française, où elle succède à Roger Caillois, et visite le Zwin. Elle explore également les environs de la ville : Damme, par exemple, où Zénon, en route pour Heist, achète une miche de pain. Avec Valentine Mertens, Marguerite Yourcenar découvre la grange monumentale de l'abbaye Ter Doest à Lissewege, le cimetière de Damme où elle veut être enterrée si elle meurt en Europe (par la suite, quand Damme devient trop agitée à son goût,

elle jette son dévolu sur le petit cimetière d'Oostkerke, un peu plus loin le long du canal). Elle refait avec piété – encore que « réinvente » serait un terme plus précis – le trajet que Zénon a suivi dans sa fuite vers Heist.

A Bruges même, sa préférence va au quartier Sainte-Anne. Dans l'église de Jérusalem, Zénon a fait ses adieux à Wivine, et les Adornes y reposent, étendus de tout leur long dans la pierre de Tournai, avec à leur côté le chien, symbole émouvant de fidélité aux yeux de l'écrivain. Un peu plus loin, au couvent anglais, elle rend visite à sœur Marie-Laurence, arrière-petite-fille Rostopchine, mieux connue sous le nom de comtesse de Ségur, auteur d'un légendaire

livre pour petites filles, *Les malheurs de Sophie*. Marguerite Yourcenar avoue à Matthieu Galey détester les livres de la comtesse, mais elle s'épanouit auprès de Marie-Laurence.

Fin mai 2001, une religieuse fringante de quatre-vingt-huit ans nous a montré le couvent où Guido Gezelle est décédé. Marguerite Yourcenar y vit certainement le buste du poète, mais sa langue s'interposait entre celui-ci et l'aca-

démicienne. La littérature ne fut d'ailleurs jamais un sujet de conversation, affirme sœur Marie-Laurence. De même : « On n'a jamais parlé religion. » Après la mort de Jerry Wilson, la religieuse a perçu la confusion de l'écrivain : « Je l'ai vue plongée en prière. » Marguerite Yourcenar fera célébrer quelques messes à la mémoire de Grace Frick et de Jerry Wilson.

En mars 1986, dans une lettre adressée à Katrien De Groote et Jan Broes, Marguerite avait fait le récit des souffrances et de la mort de Jerry Wilson ; elle rapportait également que ses propres problèmes cardiaques l'avaient empêchée de saluer Jerry sur son lit de mort à Paris. Elle écrit : « Cet événement a littéralement coupé ma vie en deux[4]. »

Elle ne reverrait plus Bruges. Dans ses *Carnets de notes de L'Œuvre au Noir*, elle évoque ses promenades dans la

Bruges de 1971, en compagnie de sa chienne Valentine :
« La belle, la douce, la blonde, celle qui aboyait avec force
contre les chevaux (et je l'en empêchais), celle qui courait
joyeusement dans la cour du Gruuthuse, celle qui bondis-
sait dans le jardin du Béguinage parmi les jonquilles – et
maintenant (six mois plus tard, 3 octobre 1971) aussi morte
qu'Idelette, que Zénon, qu'Hilzonde. Et personne ne me
comprendra si je dis que je ne m'en consolerai jamais, pas
plus que d'une mort humaine. »

Wivine, Valentine, Grace Frick, Jerry Wilson. Eux aussi
ont en commun Bruges et la fidélité.

124

NOTES

1. Pour la chronologie à partir de 1951, voir aussi : *Les voyages de Marguerite Yourcenar*, Centre international de documentation Marguerite Yourcenar, Bruxelles, bulletin n°8, 1996 et, chez le même éditeur, *Images du Nord chez Marguerite Yourcenar*, bulletins n°6 et 7, 1994-1995.

2. Lettre datée du 7 avril 1971, conservée par Jan Broes.
3. Lettre datée du 23 juin 1982, conservée par Jan Broes.
4. Lettre datée de mars 1986, conservée par Jan Broes.

« Que je voudrais que le projet de réserve au Mont-Noir
prenne racine, comme vos jacinthes ! »

Les arbres
peu à peu
sont revenus...

La plaine flamande est, de tous côtés, si propice aux invasions militaires que les monts de Flandre, buttes, témoins géologiques, sont couverts de cicatrices historiques. De Cassel, Marguerite Yourcenar écrivait : « La guerre, à intervalles réguliers, a battu sa base comme autrefois les marées de la mer[1]. »

Cette fatalité de la guerre, son inutile destruction de la terre et des hommes, c'est la mémorialiste qui les dénonce. Mais de quoi se souvient la petite fille de onze ans contrainte à l'exode par la guerre de 14 ? « [Du] bond joyeux des marsouins, vus de

l'avant d'un bateau surchargé de femmes, d'enfants, d'ustensiles de ménage et d'édredons emportés au hasard[2]. » L'écrivain souligne, dans le troisième tome de ses mémoires, cette insensibilité de l'adolescence ; ce n'est que plus tard que vient la compassion.

La redécouverte des lieux connus suscite une profonde émotion : « Je grimpe à travers les hautes herbes la pente abrupte qui mène à la terrasse du Mont-Noir. On n'a pas

encore fauché. Des bleuets, des coquelicots, des margue-
rites y foisonnent, rappelant à mes bonnes le drapeau
tricolore, ce qui me déplaît, car je voudrais que mes
fleurs soient seulement des fleurs. Nous ignorions, bien
entendu, que cinq ou six ans plus tard, ces "pavots des
Monts-de-Flandre" allaient se parer d'une gloire funèbre,
pavots en vérité, sacrés au sommeil de quelques milliers
de jeunes Anglais tués sur cette terre, et dont les repro-
ductions en papier de soie écarlate sont encore vendues
de notre temps pour certaines œuvres de charité anglo-
saxonnes [3]. »

« Ce dernier paquebot en partance [4] » l'éloignait plus
définitivement encore du château du Mont-Noir, situé sur
la ligne de front : devenu quartier général de l'état-major
britannique, il est détruit au cours de combats d'une violence inouïe qui tuent, dans le même temps, sur une cen-
taine de kilomètres, des centaines de milliers d'hommes

des cinq continents, venus mourir dans les tranchées d'Ypres, sur les hauteurs du mont Kemmel, sur les crêtes de Vimy... « Et la guerre ? J'en ai peu parlé jusqu'ici, et seulement pour en montrer les contrecoups assez négligeables sur un petit groupe. [...] Certes, nous n'avions ni proches parents, ni amis chers aux armées [5]. » Ce désengagement est-il hérité de son père, esprit libre qui, en son temps, avait été déserteur et enthousiaste lecteur d'*Au-dessus de la mêlée* de Romain Rolland ?

Un bateau pour l'Angleterre en 1914, un autre bateau pour l'Amérique en novembre 1939. Marguerite Yourcenar n'a connu ni l'angoisse des populations civiles prises entre deux feux pendant la Première Guerre mondiale, ni le poids de l'Occupation.

« Quand on chemine dans la plaine qui va d'Arras à Ypres, puis s'allonge, ignorant nos frontières, vers Gand et vers Bruges [6]... », que signifie la notion de patrie ? Pour l'écrivain, peu de chose : la frontière n'est qu'une construction humaine que franchissent sans hésitation mais non sans émotion les frontaliers – elle le constate dès son enfance –, que bafouent les conquérants – ils provoquent ainsi des dégâts irréparables –, que transgressent les grands voyageurs – dont elle fera partie. L'universalisme de Marguerite Yourcenar doit quelque chose à la première et à la troisième de ces catégories. Elle sait, comme Hadrien, que les marches d'un empire sont faites pour être déplacées si la paix y gagne en sûreté. Elle sait aussi qu'en Flandre, longtemps, on a pu choisir quel maître on voulait servir : « Le futur connétable [Henri-Maximilien, cousin de Zénon] hésita s'il s'enrôlerait dans les troupes de l'empereur ou dans celles du roi de France ; il finit par

jouer à pile ou face sa décision ; l'empereur perdit[7]. » Elle revendique cette liberté pour elle-même : se souvenant de la formule du prince de Ligne, amoureux de Marie-Antoinette, ami de Goethe et de Casanova, qui écrit dans ses *Mémoires :* « J'ai six ou sept patries : Empire, Flandre, France, Espagne, Autriche, Pologne, Russie et presque Hongrie. », elle répond, lorsqu'on lui demande si elle se sent flamande : « J'ai plusieurs cultures, comme j'ai plusieurs pays. J'appartiens à tous[8]. » De fait, sa mère, Fernande, était native du Hainaut, terre d'Empire jusqu'à la création récente du royaume de Belgique en 1831.

La guerre entre ces pays dont elle s'était, avec tant de bonheur, approprié les cultures est toujours qualifiée dans ses mémoires très négativement : « Les dévastations de la guerre[9] », les prestiges sanglants de la Grande Guerre, « la terre qui tremble[10] », parce que, non seulement les individus, mais aussi la nature souffrent irrémédiablement de la folie des hommes. « Le Mont-Noir en particulier doit son nom aux sombres sapins dont il était couvert avant les futiles holocaustes de 1914. Les obus ont changé son aspect de façon plus radicale qu'en détruisant le château construit en 1824 par mon trisaïeul[11]. »

Aux monuments aux morts, Marguerite Yourcenar préfère les arbres : « J'ai été touchée [...] par l'histoire des traces du soldat d'origine parisienne tombé sur les Monts de Flandre en 1918, repéré par vous après tant d'années. Si je comprends bien, la famille a fait planter un arbre (le plus beau monument funèbre) sur l'endroit où le jeune homme est tombé, dans l'incertitude où l'on est du cimetière où il repose, soit à Mont Kemmel, soit sur le flanc du Mont-Noir. Mais l'endroit de la mort est peut-être

encore plus important pour le souvenir que le cimetière ou l'ossuaire [12]. »

Plus que pour les patries, les pays, les nations, Marguerite Yourcenar s'enflamme pour la préservation de la nature, pour l'écologie, pour la protection des plantes et des animaux. Parce que, si « la terre guérit vite aux époques où l'humanité n'est pas encore capable de détruire et de polluer sur une grande échelle [13] », il n'en va plus de même de nos jours. L'écrivain adhère à l'idée qu'il faut déterminer des endroits où la nature sera protégée. Marguerite Yourcenar avoue son plaisir, lors de promenades dans le Maine aux États-Unis, « de passer ainsi devant des domaines les uns ouverts aux promeneurs et aux visiteurs, les autres strictement conservés comme réserves écologiques [14] ».

Au fil de sa correspondance avec Louis Sonneville, s'affirme son désir de contribuer à la création d'un espace protégé en Flandre. Qu'il soit en France ou en Belgique lui importe peu. Le 21 juin 1978, elle formule ce souhait : « Que je voudrais que le projet de réserve au Mont-Noir prenne racine, comme vos jacinthes ! » Un peu plus tard, elle revient à cette idée : « Si j'en avais les moyens, dit-elle d'une ferme à Saint-Jans-Cappel, je l'aurais certainement achetée pour en faire le noyau d'une "réserve du Mont-Noir" à laquelle j'ai souvent pensé et qui comblerait mon goût de l'écologie encore plus que mon goût du souvenir [15] ». Une photo prise en novembre 1983 nous montre l'écrivain arpentant un champ au pied du mont Kemmel : son projet est en cours de réalisation, en Belgique. Elle consulte, à chacun de ses voyages en Europe, Guido Burggraeve, conservateur de la Réserve

naturelle du Zwin, à la frontière entre la Belgique et les Pays-Bas. Il l'encourage, persuadé « qu'on fait déjà beaucoup de choses avec deux hectares [16] ».

Guido Burggraeve a souvent reçu sa visite et celle de Jerry Wilson, qui partageait son goût pour l'ornithologie : « Lors de trois promenades en sa compagnie, j'eus le plaisir de lui faire admirer trois sites exceptionnels, riches en oiseaux, particulièrement abondant en oiseaux chanteurs, ainsi que la campagne de Damme, que nous avons parcourue en hiver. [...] Madame Yourcenar avait une vision précise et claire des grands problèmes posés par l'écologie et l'éthologie. Par exemple, elle restait en admiration devant le comportement d'une élégante avocette, simulant une blessure à l'aile et se traînant devant nous pour nous éloigner délibérément de ses petits ! Bien plus que l'observation d'un nombre important d'espèces d'oiseaux, elle souhaitait connaître la raison d'être d'espèces précises dans un biotope spécifique. La concentration de milliers d'oies sauvages dans la région des polders entre le Zwin, Damme et Uitkerke l'intéressait passionnément [17]. »

Marguerite Yourcenar interpelle aussi les responsables politiques français en 1986 et en 1987 pour leur faire part de ses idées. « Vous avez attiré l'attention de M. Bernard Derosier, président du conseil général du Nord, sur la propriété du Mont-Noir. En son nom, j'ai le plaisir de vous annoncer que le Département a décidé de se porter acquéreur de la propriété », lui répond le directeur de cabinet quelques mois avant la mort de l'écrivain. Le jardin, les bois, les prés constituent aujourd'hui un parc départemental où faune et flore sont préservées sur plus de quarante hectares. « Les arbres peu à peu sont revenus [18]... ».

Que représente donc la Flandre pour Marguerite Yourcenar? Des moments intenses dans les dix premières années de son existence, une source de création ténue dans son œuvre romanesque et de plus en plus présente dans ses mémoires : quelques affleurements dans les Mémoires d'Hadrien évoquent sans la nommer vraiment la terre humide de la Flandre; Zénon, fils imaginaire d'une Bruges réinventée, l'arpente dans L'Œuvre au Noir, puis s'en éloigne, y revient et y meurt; ces « terres basses » vers lesquelles le sablier du temps ramène si souvent Marguerite Yourcenar dans sa vieillesse ne sont pas seulement des « miettes de l'enfance », elles se sont superposées, sédimentées, pour dessiner un peu le labyrinthe du monde.

NOTES

1. *Archives du Nord*, p.955.
2. *Archives du Nord*, p.956.
3. *Quoi ? L'éternité*, p.1327.
4. *Quoi ? L'éternité*, p.1374.
5. *Quoi ? L'éternité*, p.1385.
6. *Archives du Nord*, p.954.
7. *L'Œuvre au Noir*, Gallimard, La Pléiade, p.560.
8. *Les Yeux ouverts, Entretiens avec Matthieu Galey*, op. cit., p.274.
9. *Souvenirs pieux*, p.708.
10. *Quoi ? L'éternité*, p.1368.
11. *Archives du Nord*, p.955.
12. Lettre à Louis Sonneville, 5 juin 1979.
13. *Archives du Nord*, p.983.
14. Lettre à Louis Sonneville, 5 juin 1979.
15. Lettre à Louis Sonneville, 5 juin 1979.
16. Lettre à Louis Sonneville, 20 février 1981.
17. Article de Guido Burggraeve.
18. Archives du Nord, p.955.

Légendes des photos

p.11 : Marguerite Yourcenar enfant. Photo d'archives.

p.25 : Marguerite Yourcenar, dans le parc du Mont Noir. Photo d'archives.

p.29 : Plage de Zuydcoote, mer du Nord.

p.30 : Plaine de Flandre, vue du Mont-Des-Cats. Au fond, le Mont-Noir.

p.31 : Château des Cleenwerk de Crayencour, détruit au début de la première guerre mondiale. Photo d'archives.

p.33 : Marguerite Yourcenar enfant, sur son âne Martin, avec sa nourrice Barbe, dans le parc du Mont-Noir. Photo d'archives.

p.36 : Façade Est de l'actuelle Villa Mont-Noir, construite sur les écuries.

p.37 : « Chalet aux chèvres », parc du Mont-Noir.

p.38 : Les pommiers, verger du Mont-Noir.

p.39 : Thuya géant (*Thuya Plicata*), parc du Mont-Noir.

p.41 : Moulin de Cassel.

p.42 : *Kot'je*, four à pain, de la ferme Cappoen, parc du Mont-Noir.

p.43 : Allée des rhododendrons, en mai, parc du Mont-Noir.

p.44 : Ferme Cappoen, parc du Mont-Noir.

En regard p.45 : « Chalet aux chèvres », parc du Mont-Noir.

p.47 : Mélèzes bordant la Villa Mont-Noir.

p.48 : Grange de la ferme Cappoen, parc du Mont-Noir.

p.51 : Statue de la Vierge dans la grotte de Notre-Dame-de-la-Salette. parc du Mont-Noir.

p.52 : Jacinthes sauvages, parc du Mont-Noir.

p.53 : Marguerite de Crayencour avec son père devant le château familial.

p.54 : Maison de la grand-mère Noémi, actuelle rue Jean Moulin à Lille.

p.57 : Marguerite Yourcenar, jeune fille. Photo d'archives.

En regard p.58 : Carreau de dentellière.

p.60 : Reuze-Maman, le géant de Saint-Jans-Cappel.

p.61 : Carnaval de Bailleul : le géant Gargantua devant l'hôtel de ville.

p.63 : Personnage de Zénon, illustration de Frédérique Duran pour *L'Œuvre au Noir*.

p.65 : Porte d'Aire à Cassel.

En regard p.66 : Bibliothèque de Bailleul.

p.69 : Toiture à Cassel.

p.70 : Monsieur Flauw, camarade de jeux de la petite Marguerite.

p.71 : Michel de Crayencour devant sa voiture.

p.73 : Marchepied et porte d'une calèche bailleuloise.

p.130 : Cimetière militaire anglais de la Première Guerre mondiale, aux environs de Bailleul.

En regard p.131 : Tronc d'un thuya géant, parc du Mont-Noir.

p.133 : Chemin pavé du mont Cassel.

En regard p.134 : Bernaches nonettes, réserve naturelle du Zwin.

p.137 : Cigogne blanche nourrissant ses petits, réserve naturelle du Zwin.

p.138 : Hibou moyen duc au Mont-Noir.

p.139 : Jacinthes sauvages, parc du Mont-Noir.

p.141 : Marguerite Yourcenar et Jan Hardeman arpentant un champ en Flandre. Photo Michel Vanneuville.

Table

Photogravure
Le Govic

Achevé d'imprimer en février 2003
sous les presses de l'imprimerie Le Govic

Reliure
Nouvelle reliure industrielle

Dépôt légal : février 2003
Imprimé en France